Alfred dans le métro

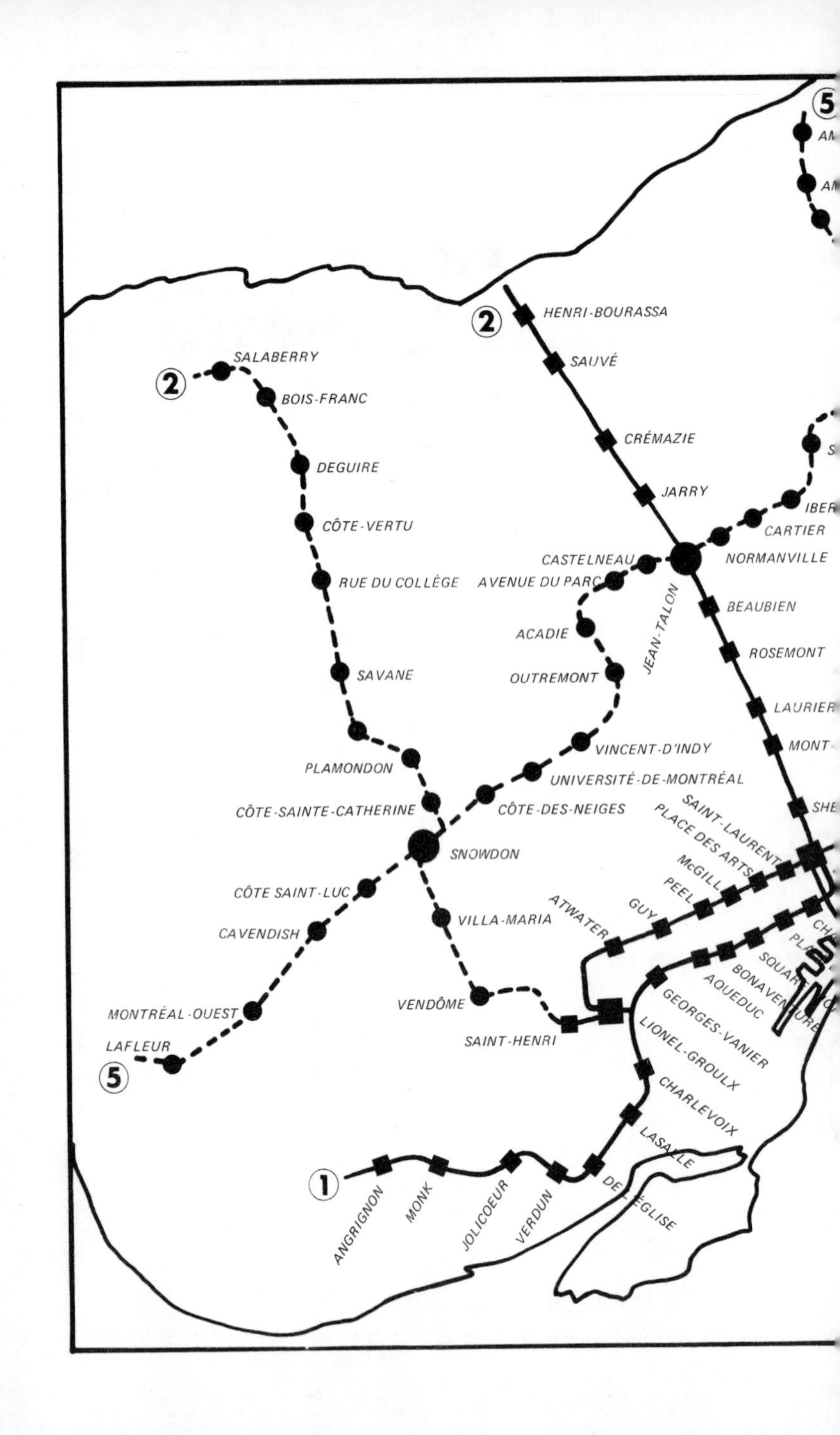
HENRI-BOURASSA
SAUVÉ
CRÉMAZIE
JARRY
JEAN-TALON
BEAUBIEN
ROSEMONT
SALABERRY
BOIS-FRANC
DEGUIRE
CÔTE-VERTU
RUE DU COLLÈGE
SAVANE
PLAMONDON
CÔTE-SAINTE-CATHERINE
SNOWDON
CÔTE SAINT-LUC
CAVENDISH
MONTRÉAL-OUEST
LAFLEUR
VILLA-MARIA
VENDÔME
SAINT-HENRI
CASTELNEAU
AVENUE DU PARC
ACADIE
OUTREMONT
VINCENT-D'INDY
UNIVERSITÉ-DE-MONTRÉAL
CÔTE-DES-NEIGES
CARTIER
NORMANVILLE
SAINT-LAURENT
PLACE DES ARTS
McGILL
PEEL
GUY
ATWATER
BONAVENTURE
AQUEDUC
GEORGES-VANIER
LIONEL-GROULX
CHARLEVOIX
LASALLE
DE L'ÉGLISE
VERDUN
JOLICOEUR
MONK
ANGRIGNON
1
2
2
5
5

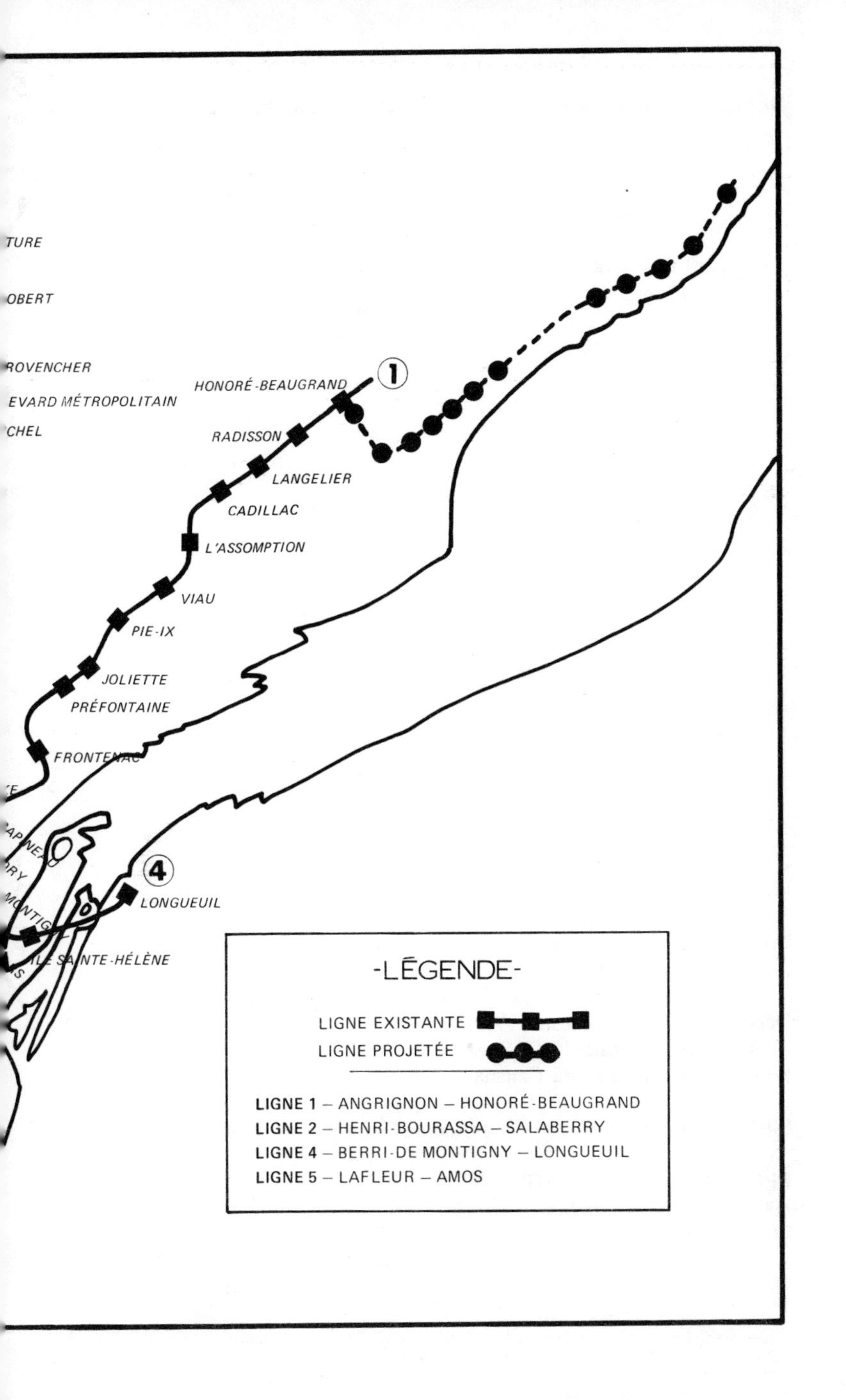
HONORÉ-BEAUGRAND
RADISSON
LANGELIER
CADILLAC
L'ASSOMPTION
VIAU
PIE-IX
JOLIETTE
PRÉFONTAINE
FRONTENAC
LONGUEUIL
1
4
-LÉGENDE-
LIGNE EXISTANTE
LIGNE PROJETÉE
LIGNE 1 – ANGRIGNON – HONORÉ-BEAUGRAND
LIGNE 2 – HENRI-BOURASSA – SALABERRY
LIGNE 4 – BERRI-DE MONTIGNY – LONGUEUIL
LIGNE 5 – LAFLEUR – AMOS

Données de catalogage avant publication (Canada)

Gagnon, Cécile, 1938-
Alfred dans le métro

(Pour lire avec toi)
Pour enfants.

ISBN 2-7625-4471-8

I. Titre. II. Collection.

PS8513.A36A83 1988 jC843'.54 C88-096383-2
PS9513.A36A83 1988
PZ23.G33Al 1988

Conception graphique de la couverture: Martin Dufour
Illustrations: Cécile Gagnon

Dépôts légaux: 3e trimestre 1988
Bibliothèque nationale du Québec
Bibliothèque nationale du Canada

ISBN: 2-7625-4471-8 Imprimé au Canada

LES ÉDITIONS HÉRITAGE INC.
300, Arran, Saint-Lambert (Québec) J4R 1K5
(514) 672-6710

Alfred dans le métro

Texte et illustrations:

CÉCILE GAGNON

ÉDITIONS HÉRITAGE
MONTRÉAL

pour dire bonjour au métro
de Montréal et saluer tous
les enfants métromanes

"Pour l'enfant, amoureux de cartes et d'estampes,
L'univers est égal à son vaste appétit."

CHARLES BEAUDELAIRE

En attendant de conquérir l'Afrique et les îles du Pacifique, apprenons à voyager chez nous. Le vrai voyageur, jeune ou vieux, est celui qui sait voir, qui aime à regarder et qui se pose des questions.

Le jeune lecteur a déjà vu des arbres et des fleurs dans les parcs de la ville. Il a traversé les ponts et il a rêvé en voyant couler le fleuve vers le mer. Il a suivi le vol paresseux des goélands et les zigzags des hirondelles.

Maintenant Cécile Gagnon nous invite à vivre la vie souterraine de la grande ville. Il n'y a pas moins de merveilles dans le métro que dans les parcs. Le jeu des sons et des lumières porte la foule à toute vitesse aux quatre coins de la ville. Les noms des stations sont des noms de héros de notre histoire. Mais surtout nos jeunes voyageurs et leur petit lapin sont les héros de l'histoire qui nous est si joliment racontée. On participe à leurs mésaventures et à leurs espoirs, car on sent bien qu'on fait partie du Grand Montréal bourdonnant où les enfants ont leur place.

Mais lisez plutôt! Regardez les beaux dessins de Cécile Gagnon, et vous vous demanderez si vous vivez un rêve ou une réalité. Ce qui est certain c'est que vous comprendrez mieux ce milieu urbain et que vous serez mieux disposés que jamais à profiter de ce qu'il vous offre et à bénéficier des contacts avec la foule qui nous entoure.

PIERRE DANSEREAU
Juin 1980

Chapitre 1

Radisson

SORTIE
RADISSON
BOUTIQU
ANABEL

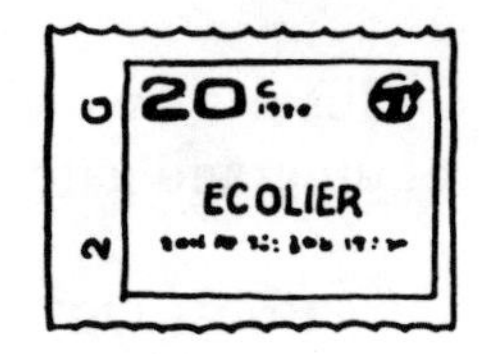

– C'est pas si loin que ça!

– Et puis on prendra le métro.

– Et si vous vous perdez?

– Mais le Mont-Royal c'est une grosse montagne, on ne peut pas le manquer!

– Et puis, on peut demander à quelqu'un.

Ainsi discutent Catherine, sa maman et Isabelle, sa meilleure amie.

Catherine a les joues rouges d'excitation. Ses nattes blondes volent autour de sa tête tant elle ponctue ses phrases de coups de tête énergiques.

Son amie Isabelle, plus calme, s'impatiente de voir la réalisation de leur projet mise en doute.

– Ah! maman, on n'est pas des bébés! dit Catherine en achevant son sandwich.

– On est bien allées au Forum toutes seules l'hiver dernier.

Juste à ce moment, la porte de la cuisine s'ouvre et un grand garçon en costume de sport apparaît.

– Éric! Qu'est-ce que tu fais ici? demande madame Sauvé.

– Je vais visiter les installations olympiques avec la classe. J'ai le temps de déposer mes livres avant.

Catherine et Isabelle se regardent et sourient. Elles ont eu la même idée toutes les deux. Tout de suite elles ont pensé que l'apparition d'Éric réglerait leur problème.

– Tu t'en vas en métro? demande aussitôt Catherine à son grand frère.

– Bien sûr.

– Alors, on pourra partir avec lui, maman . . . tu vois. Comme ça il nous expliquera.

Maman se laisse enfin amadouer et convaincre.

– Tu sais bien que nous sommes capables de nous débrouiller, voyons.

Éric, trop heureux de servir de guide et d'afficher ses connaissances, déplie sur la table le plan du métro de la ville.

– C'est simple. Il suffit de prendre la bonne direction, constate Catherine.

– Dépêchez-vous, les filles, je pars dans cinq minutes! dit Éric en engouffrant la dernière part du gâteau.

Vite, Catherine et Isabelle se mettent à faire leurs préparatifs, comme si elles partaient un mois en montagne.

Catherine bourre son sac à dos: une corde à danser, un petit sac de biscuits pour le goûter, une pochette pour les billets de métro et la menue monnaie, un tricot chaud. Isabelle court chez elle, dans l'appartement voisin, chercher ses affaires. Un ballon, une poignée de dix cents, quoi encore? . . . les patins à roulettes? C'est trop lourd.

– Tâchez de ne pas faire de bêtises et de bien profiter de votre après-midi, lance madame Sauvé, un peu inquiète, du haut de l'escalier.

Les filles, sur le pas de la porte, ont un petit moment d'hésitation. Un instant seulement où la joie de partir et la crainte de l'inconnu s'entremêlent et leur font battre le coeur un petit peu plus vite.

Éric est déjà dehors.

Les fillettes dégringolent l'escalier en saluant de la main et criant:

– Au revoir, au revoir!

– Revenez avant 6 heures, dit madame Sauvé.

Quel enfant n'a pas souhaité de partir seul ou avec un copain à l'aventure? Aujourd'hui, pour les petites citadines de 8 ans que sont Catherine et Isabelle, l'aventure avec un grand A leur tend les bras. Ce n'est pas la jungle, ni le désert du Sahara, mais c'est tout aussi enivrant pour elles. Filer sous les rues de Montréal dans des wagons bleus, par de longs tunnels noirs, côtoyer une foule anonyme, suivre un trajet sans se tromper, savoir que ses seules ressources sont en jeu: voilà de quoi combler n'importe quel amoureux des défis.

Pour le moment Éric est là, mais elles savent bien qu'après son départ il faudra se débrouiller toutes seules.

– Ah! et puis ça ira!

Leur billet rouge à la main, les fillettes pénètrent dans la station de métro sur les talons d'Éric.

Elles passent le tourniquet en silence et se dirigent vers le quai.

– C'est bien la bonne direction.

Sur le panneau on lit: ANGRIGNON.

– C’est ça. T’es sûre?

– Éric . . .

Mais Éric a retrouvé trois copains et déjà il ne s’occupe plus d’elles.

Voilà que le petit pincement au coeur les reprend.

Le train arrive du fond du tunnel.

Mais Éric revient sur ses pas et, d’un geste amical, leur fait signe que c’est la bonne voiture.

– Allez-y, les filles!

La voiture s’immobilise. Les portes bleues s’ouvrent.

Le flot des passagers déferle sur le quai.

Catherine et Isabelle entrent et prennent place tout près de la porte.

Ça y est. On part!

Éric surgit tout à coup à côté d’elles.

– N’oubliez pas de changer à BERRI-de MONTIGNY, leur dit Éric.

Catherine et Isabelle essaient de ne pas montrer leur excitation, surtout devant les amis d'Éric, qui les regardent drôlement.

Mais Éric, en grand frère compatissant, cherche à les rassurer.

– Vous avez pris vos correspondances pour l'autobus? demande-t-il d'une voix commandant une réponse affirmative.

– Non.

– Oublié . . .

Les deux paires d'yeux s'agrandissent soudain et les deux fillettes lèvent vers Éric deux visages inquiets.

Sentant leur désarroi, Éric s'empresse de leur dire:

– Ne vous en faites pas. C'est pas grave! Prenez-en une à Berri. Mais n'oubliez pas cette fois.

Pendant ce temps la voiture s'arrête et repart.

Éric retourne à ses copains.

Station VIAU.

Éric s'en va.

Vlam! la portière se referme derrière lui.

Les voilà toutes seules dans le métro.

Sourire aux lèvres, coeur bondissant dans leur poitrine, Catherine et Isabelle sont prêtes. Les deux paires d'yeux pétillants jettent de temps en temps un coup d'oeil sur le plan du métro. Tandis que la rame file, les deux filles se mettent à examiner les passagers autour d'elles.

Chapitre 2

Alfred

DU B N PIED

Sur les sièges colorés, des gens de tout âge ont pris place.

Les uns lisent, d'autres conversent, une dame tricote; certains portent des sacs d'école, des sacs d'emplettes, des valises.

Le métro file à grande vitesse. Déjà les lumières de la prochaine station se distinguent au fond du tunnel noir.

Installée confortablement dans son personnage de voyageuse, Catherine chuchote d'un air très "au-dessus de ses affaires" à l'oreille d'Isabelle:

– Ça va vite, hein?

– Nous serons là dans vingt minutes, réplique Isabelle tout bas.

La voiture s'arrête. Les portes glissent, laissant passer quelques personnes.

Puis de nouveaux passagers entrent.

Parmi eux, un jeune garçon qui tient une grosse boîte de carton solidement ficelée.

Il s'assoit juste en face des deux fillettes, sa boîte posée sur ses genoux.

Les deux amies lui jettent de petits coups d'oeil furtifs.

Le garçon, qui semble à peu près de leur âge, regarde droit devant lui.

– Tu vois! Lui aussi il est tout seul en métro, chuchote Isabelle.

– Aïe! sa boîte bouge! dit Catherine en donnant un violent coup de coude dans les côtes d'Isabelle.

Déjà le métro s'arrête à la station suivante. PRÉFONTAINE, PRÉFONTAINE, PRÉFONTAINE se répète le nom sur les murs.

Des affiches colorées se succèdent montrant des visages bronzés, des jeans bien propres, du poulet bien doré.

Au moment où la porte se referme automatiquement, une grosse dame tenant deux gros sacs de marché à la main arrive en soufflant.

– Ouf! fait-elle en s'asseyant sur le seul siège libre à côté du garçon à la boîte.

Le métro repart.

La boîte sur les genoux du garçon tremble d'une curieuse façon. Isabelle commence à se poser des questions inquiétantes sur son contenu.

Catherine examine la boîte de tous ses yeux.

Sur les côtés, on voit de petits trous ronds. Et soudain Catherine croit distinguer dans l'un de ces trous ronds un oeil rouge!

Un mouvement de frayeur vite réprimé, Catherine se penche à l'oreille d'Isabelle:

– C'est une chose en vie, dans la boîte. J'ai vu un oeil!

– Hein! C'est quoi?

– Demande-lui, suggère Catherine. Moi je l'ai découvert, toi trouve ce que c'est.

– Demande-lui toi-même, répond Isabelle, insultée, et surtout . . . elle n'a pas envie de s'adresser à un inconnu.

Le métro roule. La dame aux sacs soupire. Elle a posé les deux sacs à ses pieds. On voit dépasser du céleri, des poireaux . . .

Le garçon est toujours imperturbable, mais ses yeux brillants révèlent à la fois de l'inquiétude et du plaisir. Il tient solidement sa boîte sur ses genoux . . . car il faut dire qu'elle fait de drôles de bonds, sa boîte.

N'y tenant plus, Catherine balbutie:

– Euh, eh . . . est-ce qu'on peut savoir ce que tu transportes dans ta boîte?

Sur le visage du garçon se dessine un large sourire:

– Mon lapin! répond-il avec fierté.

Isabelle et Catherine sont interloquées.

– Ah! un vrai lapin? s'exclament-elles ensemble.

– J'ai vu son oeil!

– De quelle couleur est-il?

– Où vas-tu avec?

Le jeune garçon, très fier de l'intérêt qu'il suscite, s'empresse de répondre:

– Il est blanc. Il s'appelle Alfred. Je l'emmène chez mon grand-père qui a un jardin à Verdun. Je n'ai pas de place pour le garder chez nous.

Tandis que file le métro, une conversation animée s'engage entre les trois enfants.

Le métro s'arrête, repart: les enfants n'y font même pas attention.

– Comme tu as de la chance d'avoir un lapin! s'exclame Catherine.

Elle qui aime tant les lapins! Elle songe avec tendresse à ses deux lapins à elle. Ils sont en peluche. Et tandis qu'elle se balade en métro ils attendent bien sagement sur son lit. Le gros lapin blanc qui s'appelle Nuage et le petit lapin bleu qu'elle a baptisé Bouillie.

Mais ce lapin-ci, il est en vie.

– S'il te plaît, soulève le couvercle une seconde! supplie Catherine.

– On voudrait le voir . . . un quart de seconde, ajoute Isabelle.

– J'ai trop peur qu'il se sauve, répond le garçon.

– Ah! allez! ouvre . . . tout petit comme ça.

– J'en ai jamais vu un vrai tout blanc.

– Il faut descendre bientôt; on n'aura pas le temps! soupire Catherine d'une façon désespérée.

Finalement le garçon se laisse convaincre.

Il dénoue la corde. Les filles se penchent sur la boîte, le couvercle se soulève à peine.

– Qu'il est beau!

– Qu'il est doux!

Deux grandes oreilles blanches. Deux grands yeux rouges. Un petit museau qui frémit. Il y a de quoi attendrir le coeur de ces deux fillettes émerveillées.

– Bonjour, Alfred!

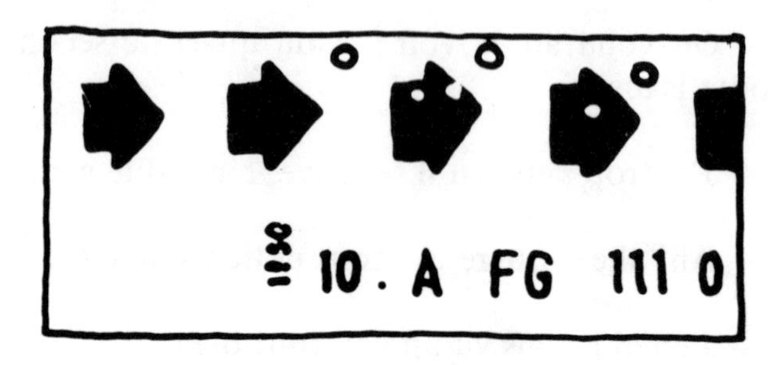

Chapitre 3

La catastrophe

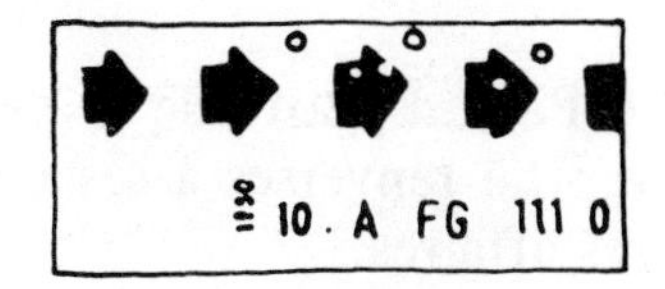

La rame du métro qui roulait calmement fait soudain un arrêt brusque. Un coup de sifflet retentit.

Le couvercle de la boîte s'ouvre tout à fait. Alfred, attiré par les légumes tout frais, près de lui, saute sur les genoux de la passagère aux sacs d'épiceries.

– Aïe! hurle la pauvre dame stupéfaite.

Elle n'a pas le temps de réaliser ce qui lui arrive. Elle se lève d'un bond, en poussant un cri de terreur.

Ses sacs de provisions se renversent. Les oranges et les oignons roulent sous les sièges.

Tous les passagers du wagon se tournent vers elle.

– Qu'est-ce qu'il y a?

– Que se passe-t-il?

– Un chat blanc . . . a . . . sau-té sur moi . . . bégaye la dame, à peine revenue de ses frayeurs.

Petit à petit elle se calme puis, voyant ses sacs à moitié renversés à ses pieds, elle se met à ramasser ses affaires.

Un chat!

– Ce n'est pas un chat, c'est mon lapin! s'écrie le jeune garçon, le feu aux joues. Il s'est sauvé.

On devine au ton de sa voix qu'un immense chagrin vient de s'abattre sur lui.

Catherine et Isabelle ont les larmes aux yeux. Tout ça, c'est de leur faute.

Elles n'osent plus regarder le garçon qui tient sa boîte vide contre lui. Le pauvre! Il a une mine épouvantablement triste.

Où est passé Alfred?

À travers les jambes et les pieds de toutes tailles, Alfred se fraie un chemin. Drôle de forêt!

Vif comme l'éclair, il file vers un mur qui tout à coup, sans prévenir, se fend en deux et laisse entrevoir d'autres jambes, d'autres pieds et de jolies lumières. La portière, en effet, s'est ouverte. Avant que les passagers n'aient eu le temps de comprendre ce qui se passe, Alfred s'enfuit sur le quai de la station.

Le garçon, sa surprise passée, reprend ses esprits.

Pensez-vous qu'il va le laisser s'enfuir sans réagir, ce lapin qu'il soigne depuis des mois avec tant d'attention? Jamais!

– Le voilà ton lapin, dit un homme en lui montrant la porte du doigt. Vite, cours après lui.

Ces paroles redonnent du courage au gamin qui s'élance à sa poursuite.

Catherine et Isabelle, toutes penaudes, réagissent aussitôt. Sans une parole, sans une hésitation, elles ont décidé qu'elles devraient retrouver Alfred et retarder leur excursion à la montagne tout le temps qu'il faudra.

Il n'est plus question de promenade, de jeux. La seule chose qui compte: retrouver le lapin.

Elles se dirigent vers la sortie, appelant le jeune garçon du regard. Mais il est déjà en dehors du wagon.

Horreur! Voilà les portes qui se referment doucement.

– Hé! toi! se mettent-elles à crier.

Heureusement, avant que la portière ne soit tout à fait fermée, elles réussissent à se glisser sur le quai.

Ouf! tout va vite dans le métro!

Les passagers, étrangers au drame qui se joue sous leurs yeux, vont à leurs affaires avec, tout au plus, un sourire attendri à l'endroit des enfants.

– On a failli rester! dit Catherine au garçon qui est debout, les bras vides, cherchant dans quelle direction aller.

– Où est la boîte?

– Elle est restée à l'intérieur.

– Tant pis!

– On va t'aider à chercher Alfred, dit Isabelle en rougissant pour cacher le remords qui la tiraille.

– Mais dis-nous vite ton nom.

– On a voulu t'appeler, et on ne savait pas comment!

– Je m'appelle Claude. Mais vite, ne traînons pas ici.

La petite troupe part en courant vers l'escalier qui mène à la sortie.

La sortie! Mais voyons, la sortie, c'est affreux!

– Si Alfred sort dans la rue, on ne le reverra plus jamais.

– Vite!

Les enfants montent et dévalent les escaliers quatre à quatre. On inspecte les marches une à une et puis le couloir. Aucune forme blanche en vue.

Parmi les gens qui descendent l'escalier certains sourient ouvertement comme s'ils venaient de voir un clown.

C'est vrai que de rencontrer un lapin blanc dans un couloir de métro ça peut faire sourire.

Si c'était ça?

Oubliant sa timidité, Isabelle interpelle un monsieur qui a la bouche fendue jusqu'aux oreilles.

– Avez-vous vu, Monsieur..., un... lapin blanc?

– Mais oui! mais oui, ma petite. Il est là.

– Où là?

– Le monsieur souriant se retourne et découvre derrière lui deux immenses tapis roulants.

– Je l'ai croisé en descendant, dit le monsieur. Mais est-ce qu'il est à vous?

– Oui!

– Non.

– C'est défendu . . . commence le monsieur.

Mais les enfants n'écoutent plus.

Devant les enfants se dressent deux longues bandes noires qui bougent. Celle de droite monte; celle de gauche descend.

Des deux côtés il y a des gens. Les trois paires d'yeux cherchent une forme blanche.

– Au bout du tapis, qu'est-ce qu'il y a?

– La rue!

– Vite!

Chapitre 4

Tapis et balais

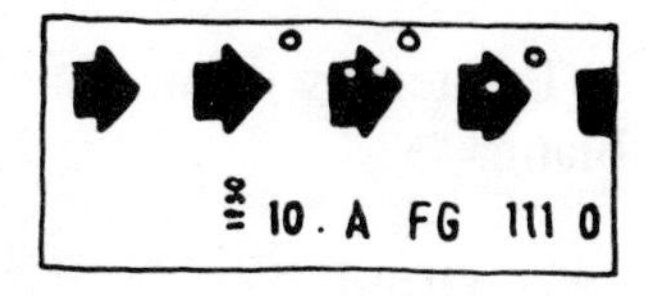

– Reste en bas, nous allons monter, dit Catherine.

Les deux filles s'engagent sur le tapis roulant. Tricotant à travers les passants elles cherchent des yeux le lapin.

Heureusement, il est encore tôt dans l'après-midi. Il n'y a pas tellement de gens sur le tapis qui monte.

Ni dans celui qui descend.

Le tapis monte doucement emportant les deux petites filles. Pas d'Alfred!

Elles font des signes à Claude qui surveille en bas.

Mais tout à coup on arrive en vue de la fin du tapis. Il y a la cage de verre où l'on vend les billets et les deux tourniquets de la sortie.

Au lieu de s'engager vers la sortie, les gens s'empilent au bout du tapis mécanique. On entend des éclats de voix.

– C'est insensé, dit une dame devant le groupe, promener ça dans le métro!

Le temps d'un éclair et Isabelle a aperçu du blanc.

– Alfred!

– C'est lui.

Le changeur, dans sa petite cabine de verre sort de son poste. L'employé de l'entretien vient d'arriver. Il appelle le surveillant.

Le surveillant sort son gros trousseau de clefs et ouvre le placard à balais.

Pendant ce temps les passagers se bousculent. La dame maugrée.

– Passez donc! Qu'est-ce que vous attendez?

On attend . . . que le lapin se décide.

Catherine et Isabelle arrivent à leur tour au bout du tapis.

Alfred est là enfin! Il s'est dressé sur ses pattes de derrière. On dirait qu'il hume l'air pour choisir une direction. À part la dame indignée, on semble s'amuser du spectacle.

– Claude! crient les filles. Il est là!

Les gens se pressent. Catherine et Isabelle arrivent.

Sans se demander un seul instant ce qu'elles vont faire pour attraper Alfred, elles se précipitent vers lui, déjà sûres de leur victoire.

Hélas! Alfred ne l'entend pas ainsi.

Il bondit à toute vitesse vers le préposé à l'entretien qui vient de sortir son seau et son grand balai-brosse du placard. Le placard est encore entrouvert. Le surveillant, son trousseau de clefs à la main, s'apprête à refermer la porte.

Mais quelle surprise!

Voici qu'un lapin blanc lui passe sur les pieds et s'engouffre dans le placard à balais.

– Nous le tenons! s'écrient Catherine et Isabelle.

Claude, attiré par leurs cris, monte justement à toutes jambes sur le tapis roulant. Isabelle s'appuie vite sur la porte, l'empêchant de s'ouvrir.

– Monsieur, monsieur . . . C'est notre lapin!

– Ne fermez pas la porte tout de suite! enchaîne Claude.

– Qu'est-ce que c'est que cette histoire? demande le surveillant.

Après avoir écouté l'explication rapide des enfants, le surveillant accepte leur demande.

Doucement il rouvre la porte du placard. Il fait noir. Des seaux, des balais, des brosses, des vadrouilles s'entassent. On voit des tuyaux, des fils électriques, des poubelles, de vieux panneaux indicateurs, un robinet.

C'est tout petit dans le placard. Seuls Claude et Catherine s'y faufilent. Isabelle accepte volontiers de monter la garde au-dehors.

Et Alfred, le coquin, où est-il donc caché?

Catherine inspecte un seau. Rien. Un autre: vide aussi. Mais dans celui-ci il y a . . . Alfred.

Ah!

Et Alfred est en grande forme. Il saute, fuit entre les jambes de Claude et de Catherine, se glisse dans le mince espace laissé par la porte à peine ouverte. Isabelle a le temps de voir un bolide blanc foncer sur l'homme qui a commencé de laver le plancher. L'homme fait un mouvement brusque, son seau se renverse. Alfred barbotte dans l'eau savonneuse et s'enfuit vers le tapis qui descend. Ses pattes mouillées laissent des traces inespérées qu'il suffit de suivre. Les enfants abandonnent le placard, l'homme de l'entretien et tout le reste . . .

Isabelle, qui était déjà en avance, se rapproche d'Alfred.

– Ça y est, on va l'avoir!

– Comment ça s'attrape un lapin? demande Isabelle. Par les oreilles?

– Comme tu peux, répond Claude, suivant des yeux la forme blanche.

Cette fois, les enfants haletants sont quelque peu rassurés. Après toutes ces péripéties, ils espèrent bien que la fin de la poursuite est imminente.

– Il doit être fatigué, dit Claude pour s'encourager.

Les enfants suivent Alfred sur le quai. Un train arrive justement. Alfred entre par une porte.

On dirait qu'Alfred, qui – c'est certain – n'a jamais eu l'habitude du voyage, commence à prendre un très grand plaisir à son aventure. Le voilà qui grimpe sur les sièges, bondit sur les gens étonnés et parfois furieux, saute, trottine, tout à son aise.

Bientôt, tout le wagon est en effervescence.

La plupart des passagers accueillent cette diversion avec humour.

Alfred agite ses oreilles, hume l'air, trottine encore sous les banquettes et se retrouve nez à nez avec Claude.

– C'est à moi, explique Claude aux gens alentour.

– Aidez-nous à le rattraper.

– Je vais vous aider, dit une jeune fille, en se penchant vers Alfred qui s'est blotti sous un siège.

– Prenez ce sac-là, propose un monsieur en leur tendant un sac de plastique. Ça ira mieux.

Tout au long du trajet, entre deux stations, les passagers du wagon se constituent en équipes. La jeune fille dirige les opérations pour la grande joie des enfants qui sont sûrs maintenant de rattraper Alfred.

Catherine et Isabelle sont à quatre pattes au beau milieu du wagon.

Claude tient le sac bien ouvert pour recevoir le fugitif que la jeune fille tente de faire avancer à l'aide de son parapluie.

– F-f-f. Sh-sh-h-h.

Mais la voiture ralentit, stoppe. Les portes s'ouvrent. Les panneaux disent: BERRI-de MONTIGNY, BERRI-de MONTIGNY.

Les voilà de retour à la station la plus achalandée.

Des masses de gens se pressent aux portes.

"C'est ici qu'on doit changer de direction", pense Catherine.

"Et prendre une correspondance", se rappelle soudain Isabelle.

Mais il n'est pas question de cela.

Il faut s'occuper d'Alfred.

Le voyage doit continuer. Tous ces gens qui s'étaient donné la main le temps d'une poursuite doivent maintenant continuer leur chemin. Leur belle entente s'effrite. Chacun s'en va de son côté.

Alfred a déjà filé.

La jeune fille élégante hausse les épaules.

Le monsieur soupire.

– Bonne chance, les enfants!

– Je dois vous quitter, c'est dommage!

– Ne vous en faites pas, vous l'aurez bien, va!

Les enfants sentent le découragement les envahir. Ils se rassemblent tous les trois sur le quai.

– Où aller, maintenant?

Dans cette immense station les gens arrivent de partout.

Il y a une multitude d'escaliers, de tourniquets, de couloirs. Des indications, des lumières, des flèches. Un bruit continuel de voitures qui freinent, de pas qui martèlent le sol, de gens qui se pressent. Catherine et Isabelle sont étourdies. Pour la première fois elles prennent conscience du lieu où elles se trouvent. Le métro! Comme c'est grand, comme il y a du monde!

Claude les fait sursauter:

– Je le vois, Alfred!

Claude se met à courir et, par son exemple, leur injecte un peu d'énergie. Les filles se lancent à ses trousses.

Dans leur tête se forme l'espoir secret que la course au lapin sera bientôt terminée et que la fameuse excursion à la montagne pourra quand même avoir lieu.

Chapitre 5

Berri-de Montigny

La grande station carrefour du centre-ville est très animée. D'ici on peut s'engager dans cinq directions différentes. Il y a beaucoup de monde, beaucoup de bruit. On entend gronder les trains qui circulent sur trois niveaux.

Catherine et Isabelle entourent Claude. Dans cette station, sous la terre, où tout le monde a l'air bien occupé, les deux filles se sentent bien seules et plutôt inquiètes. Leur après-midi est en train de devenir une drôle d'expédition. Dieu sait comment tout ça va finir!

Devant l'air triste de Claude, les deux filles essayent de lui faire reprendre courage.

– C'est tellement grand ici, dit Claude d'une voix hésitante. Par où commencer?

– Peut-être faudrait-il nous séparer? suggère Catherine.

Une lueur de frayeur passe dans les yeux d'Isabelle. "Partir toute seule dans le métro? En serais-je capable?" se demande-t-elle.

– En tout cas, il ne sert à rien de placoter! On perd du temps, souligne Claude.

À côté d'eux, sur la banquette, une vieille grand-mère à lunettes les observe.

Elle est toute ronde. Sa peau est toute ridée. Un châle mauve entoure ses épaules. Elle sourit.

Elle est assise, toute seule, au milieu de la foule qui passe. Elle regarde les gens, les suit des yeux. Depuis un moment elle écoute parler les enfants tout près d'elle. Elle les regarde. Elle ne dit rien.

Puis les enfants se décident à bouger.

Au centre de la station il y a un kiosque à journaux.

Les vendeurs étalent journaux et revues sur des présentoirs. De là où ils sont, ils voient tout ce qui se passe.

Claude s'approche d'un vendeur et lui demande:

– Vous n'auriez pas vu passer un lapin blanc, par hasard?

– Ah! ça va, le farceur! répond l'homme d'une voix brusque.

– Mais pardon! Ce n'est pas une farce, c'est pour vrai! s'écrie Claude.

– Un lapin dans le métro, maintenant. Humph! Je n'ai rien vu passer ici.

La vendeuse, portant une grosse pile de journaux arrive en soufflant:

– Il paraît qu'il y a un animal en liberté dans le couloir de Longueuil, dit-elle en riant. Tu devrais voir ça! Les gens courent après!

Claude, Isabelle et Catherine se mettent en branle. À peine ont-ils une légère hésitation pour trouver le bon escalier qui mène dans la direction de Longueuil. Ils courent aussi vite qu'ils le peuvent vers la voiture en attente.

Un attroupement s'est formé sur le quai.

Les enfants se joignent aux badauds et voient Alfred bien installé dans une voiture et juché sur le dossier d'un siège. Il fait des mines en regardant les gens par la fenêtre.

Les gens rient. Personne ne se soucie de savoir d'où il vient.

Claude et Catherine se précipitent dans le wagon. Isabelle suit. Mais, trop tard . . . les portes se referment.

À l'intérieur, Claude et Catherine s'empressent de tendre leurs quatre mains vers le lapin toujours sur le dossier du siège.

– Alfred! Alfred! appelle Claude, d'une voix douce. Viens!

Alfred tourne la tête.

Est-ce qu'il reconnaît son ami?

En tout cas, il n'a pas l'air de vouloir interrompre son voyage. Il fait un drôle de petit cri et se sauve à toutes pattes sous les banquettes au fond du wagon.

Catherine et Claude se regardent. Catherine tourne la tête pour voir où est Isabelle. Mais il n'y a pas d'Isabelle dans le wagon. Seulement quelques personnes qui semblent bien amusées par ce branle-bas.

– Isabelle! crie Catherine.

Mais personne ne répond.

Claude est déjà au fond de la voiture, à quatre pattes, la tête sous un siège. Il chuchote.

– Alfred! Alfred!

– Claude! l'interrompt Catherine. Isabelle n'est pas avec nous: je pense qu'elle va être perdue.

Claude ne répond même pas.

Catherine se penche et secoue Claude.

– Claude, c'est grave! Isabelle est perdue.

Claude relève la tête.

Catherine a son visage des mauvais jours. Même Claude, qui ne la connaît pour ainsi dire pas du tout, se rend bien compte qu'il se passe quelque chose. Il se demande même si la petite fille devant lui ne va pas éclater en sanglots d'un instant à l'autre. Il ne manquerait plus que cela.

– Isabelle . . . est . . . n'est pas . . .

Claude ne sait pas quoi dire. Catherine se laisse tomber sur un siège. Mais elle n'éclate pas en sanglots, au grand soulagement de Claude.

Le métro file. Alfred joue à la cachette comme d'habitude.

Catherine essaie de réfléchir. Elle inspecte en soupirant le plan du métro sur le mur devant elle, en se demandant dans laquelle de toutes ces stations attend ou se désole Isabelle.

Puis, en observant la carte, elle se rend compte que la ligne numéro 4 qui va à Longueuil passe sous le fleuve Saint-Laurent.

Sous le fleuve! Oh!

Elle qui ferme toujours les yeux très fort quand elle traverse, en voiture avec sa famille, le tunnel Louis-Hippolyte-Lafontaine qui passe sous le fleuve lui aussi!

Sa petite peur d'enfant se met à grandir. Elle n'est plus avec papa, maman, ni avec Éric, ici. Elle est dans le métro, sous le Saint-Laurent!

– Claude! Est-ce qu'on est sous le fleuve en ce moment?

– Bien oui.

Le coeur de Catherine bat à tout rompre. Au lieu de se boucher les yeux, cette fois, elle regarde du mieux qu'elle peut les murs du tunnel où s'engage la rame des six voitures bleues du métro.

N'y a-t-il pas une petite lézarde dans le mur? Une petite crevasse qui s'agrandit, qui va bientôt laisser passer toute l'eau du fleuve et va engloutir les voitures, les gens, tout?

Quelle horreur!

Catherine en a presque oublié Isabelle tant sa frayeur l'a saisie.

Mais c'est passé.

Le train ralentit, on doit être de l'autre côté, sous la terre ferme. C'est moins effrayant.

Claude cherche toujours à attirer Alfred qui fuit entre les jambes des gens.

– Claude! reprend Catherine. Qu'est-ce qu'on va faire pour Isabelle?

TERMINUS, annonce le haut-parleur.

Chapitre 6

Seule sous terre

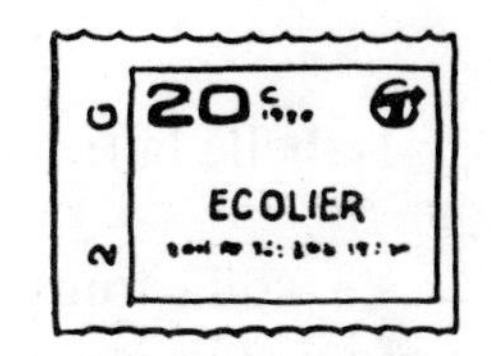

Le premier moment de stupeur passé, Isabelle se retrouve toute seule sur le quai à regarder la rame filer au fond du tunnel noir.

Isabelle est une timide. Ses deux grandes soeurs, Maryse et Geneviève l'agacent toujours quand elle refuse de parler.

À la maison, ça va. Mais aussitôt qu'un étranger est présent, Isabelle fige. C'est plus fort qu'elle: les mots ne veulent pas sortir de sa bouche.

Et là, sur le quai, Isabelle la timide, qui ne sait pas encore très bien ce qui lui arrive, se retourne et demande au premier venu:

– Il va où, ce métro?

– À Longueuil, répond un jeune homme au blouson vert.

Isabelle n'est pas très avancée. Elle ne sait même pas où c'est, Longueuil! Heureusement, le plan du métro sur le mur la renseigne.

Ce tracé de la ligne 4 indique très clairement que le métro qui y passe s'en va tout simplement sous le fleuve Saint-Laurent et sur l'île au milieu.

Isabelle la timide a un moment de panique.

La voilà toute seule dans le métro de Montréal, enfoui sous les rues, sous les maisons.

Et si le plafond du métro se mettait à craquer. Est-ce que toutes les maisons lui tomberaient sur la tête?

Il passe même sous l'eau, le métro! Ah! c'est trop fort!

La première pensée qui vient à l'esprit d'Isabelle: appeler maman.

Le jeune homme au blouson vert lui demande:

– Où veux-tu aller?

Isabelle hoche la tête:

– Je ne sais pas encore.

L'homme au blouson vert sourit. C'est sans doute une petite dégourdie qui explore la ville toute seule. Laissons-la se débrouiller, se dit-il.

– Si tu regardes bien la direction, ce n'est pas difficile. Tu ne peux pas te perdre. Et si tu te trompes, tu reviens, c'est tout.

Isabelle sourit au jeune homme. Sa panique s'est envolée avec son sourire.

– Bonne route, lui dit le jeune homme d'une voix chaleureuse qui lui rappelle celle de son papa quand il est de bonne humeur.

– Téléphoner à maman, c'est trop bête!

Isabelle se replonge dans l'examen du plan du métro et prend sa décision.

Il vaut mieux attendre ici. C'est sûr que Catherine et Claude vont revenir.

Isabelle reprend l'escalier et se retrouve au grand carrefour, là où, tout à l'heure, la vendeuse de journaux les avait lancés sur la piste d'Alfred.

Elle s'assoit sur un banc.

Tout en regardant les passants, en examinant le métal, le béton, le revêtement brillant des murs; en écoutant les bruits, les sons, les bribes de conversations qui lui parviennent, Isabelle se sent de plus en plus apaisée et confiante.

Eh bien! c'est ça le métro!

Être sous les rues avec les gens qui passent, des gens de toutes les tailles et de toutes les couleurs. Entendre des langues étranges, voir des enfants qui rient, des bébés dans des poussettes, des vieux tout courbés; c'est tout ça le métro!

Isabelle la timide oublie toutes ses peurs, même son horrible condition de petite fille perdue, et tout d'un coup elle se met à aimer le métro beaucoup, beaucoup.

Ça brille! Ça bouge!

Une voix douce arrive soudain jusqu'à ses oreilles.

– Tu as quitté tes amis? dit la voix douce.

Isabelle regarde à côté d'elle. Il y a la petite vieille dame au châle mauve. C'est d'elle que vient la voix douce.

– Bonjour Madame, fait Isabelle d'un coeur joyeux.

– Où sont tes amis? répète la vieille dame.

– Euh! ils sont . . . à Longueuil, je crois.

– Sans toi? demande la petite vieille dame.

Et Isabelle fait à la petite vieille dame le récit de ce qui lui est arrivé en bas sur le quai de Longueuil.

La petite vieille dame écoute Isabelle avec attention en hochant la tête de temps en temps pour montrer qu'elle a bien compris.

Isabelle, en racontant l'histoire, sent une joie lui gonfler le coeur. On dirait que raconter ses malheurs à quelqu'un ça rend les idées plus claires et les tristesses moins lourdes.

– Tu as bien fait de revenir ici, dit la vieille dame.

– Merci, dit Isabelle, charmée du compliment.

– Mais tu devrais surveiller le retour de tes amis, sinon ils vont te passer sous le nez sans que tu les voies, dit la petite vieille dame.

– Ah!

– Je les connais, tes amis. Je les ai vus avec toi. Moi, je peux les surveiller pour toi. Et pendant ce temps, si tu veux bien, tu iras faire une commission pour moi à la pharmacie, là-bas.

Enchantée d'avoir la possibilité d'aller encore plus loin à la découverte des merveilles du métro, Isabelle accepte avec plaisir.

– Je veux bien!

La petite vieille dame explique à Isabelle ce qu'elle veut, lui donne l'argent qu'il faut et lui recommande:

– Ne flâne pas; reviens vite. Si tes amis passent, je les arrête et leur dis de t'attendre.

– À tout de suite!

Isabelle franchit le tourniquet vers les couloirs bordés de commerces divers.

Elle inspecte les vitrines, lorgne du côté du photographe et arrive à la pharmacie.

En peu de temps elle fait l'achat demandé par la vieille dame, et reprend le couloir en sens inverse. Comme c'est amusant de faire des commissions sous terre!

Isabelle, qui rouspète toujours quand sa mère l'envoie faire des achats à l'épicerie de son quartier, viendrait bien volontiers en métro faire des courses ici. Tous les jours s'il le faut!

Un magasin de bonbons! La tentation est forte! Mais ça sent le pain frais plus loin.

M-m-m-m.

Isabelle flâne. Elle adore se promener toute seule et regarder les vitrines; si bien qu'elle en oublie Catherine, la petite vieille dame, et même Alfred.

Soudain, à l'étalage de la charcuterie, elle voit des saucissons, des terrines, des pâtés.

Qu'est-ce qu'il dit, le petit carton piqué dans ce pâté appétissant?

Isabelle s'approche et lit: PÂTÉ DE LAPIN AU COGNAC.

Oh! Ça suffit pour la faire revenir sur terre.

Chapitre 7

Terminus

PLACE AUX CYCLISTES
LE VÉLO C'EST BEAU
EN VÉLO
MÉTRO
VÉLOS DANS LE MÉTRO

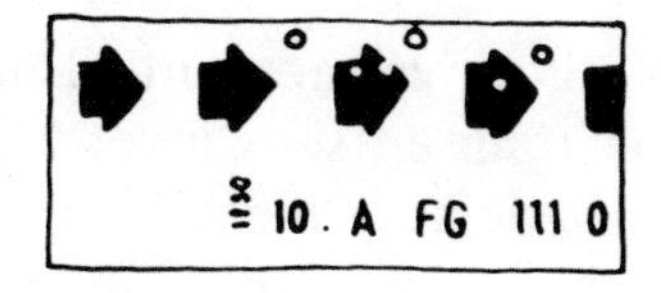

– Tant pis pour elle, bon! dit Claude exaspéré.

Comment tout peut-il aller si mal? Alfred qui ne veut jamais se laisser attraper, et maintenant cette fille perdue! pense Claude.

Catherine le regarde les yeux ronds, la bouche ouverte.

– Je ne veux pas dire ça, s'empresse de dire Claude, se rendant compte de sa maladresse. Elle va bien se débrouiller, non?

Catherine, qui connaît la timidité de son amie est très inquiète. Elle-même, si elle était toute seule dans le métro, se sentirait-elle si brave que ça? Elle qui vient à peine de franchir sans trop de bravoure, il faut le dire, l'étape terrible du tunnel-sous-le-fleuve.

Terminus! entend-on dans le haut-parleur.

Terminus! C'est donc la fin du métro?

– T'en fais pas. Ton amie va peut-être nous attendre à Berri. Il faut repasser par là, dit Claude.

Pour le moment, il ne reste plus qu'à reprendre le train en sens inverse à moins . . . qu'Alfred n'en décide autrement.

Justement, toujours devant, Alfred grimpe l'escalier et redescend de l'autre côté de la voie. Les voitures sont immobiles, portes ouvertes.

– Cette fois on aura plus de temps; il faut l'avoir à tout prix, annonce Claude d'un ton qui ne permet pas de réplique.

Devant eux, soudain, brandissant banderoles et pancartes, surgit un groupe de gens. Ils scandent à pleins poumons: LE VÉLO C'EST BEAU! LE VÉLO C'EST BEAU! Ils sont drôles! Mais ils bloquent l'accès à l'escalier avec leurs bicyclettes rangées côte à côte.

C'est une manifestation! C'est une manifestation! entend-on de toutes les bouches.

Il y a des jeunes, des moins jeunes. Ils portent des chemises avec une grosse bicyclette imprimée en noir. Ils ont l'air gai, ils chantent. Ils répètent: LE VÉLO C'EST BEAU!

Mais ils bloquent toujours le chemin. Ça, c'est moins beau.

Les opérateurs et les surveillants du métro ne sont pas contents. Ils essaient de disperser les manifestants. Sans succès.

Catherine et Claude ne sont pas contents, eux non plus.

Ils ont bien envie qu'elle finisse cette manifestation dont ils n'ont pas très bien saisi le sens.

Alfred, pour la sixième fois, les a encore déjoués.

Claude essaie vainement de se frayer un chemin entre les roues des vélos.

– Allons, les enfants, sortez jouer dehors!

– Allez donc en vélo, c'est mieux!

– Eh bien, moi j'aime mieux le métro, na! leur répond Claude en tirant la langue.

– LE MÉTRO C'EST BEAU! crie Catherine.

Empoignant les guidons d'une bicyclette avec une énergie féroce, Claude pousse, pousse tant et si bien qu'un passage se fait dans la foule.

Catherine et Claude s'engouffrent dans la brèche et courent vers le train.

Heureusement, il n'est pas encore en marche.

Les enfants ne se soucient plus des gens qui les regardent, qui leur sourient. Ces gens-là sont pressés; ils passent, ils ont des préoccupations, des rencontres à faire.

Alors, d'un commun accord, Claude et Catherine n'y font plus attention.

C'est trop compliqué de faire et défaire des complicités à chaque arrêt du métro.

Pendant ce temps, Alfred, voyant les voitures à l'arrêt, a décidé d'aller explorer.

Depuis le début de son escapade, ce satané lapin a développé une hardiesse et une aisance déconcertantes.

Rien n'est à son épreuve. Encore heureux qu'il n'ait pas vu la manifestation en haut. Il se serait bien mis dans la tête de partir en bicyclette! Et voilà maintenant qu'il saute, comme il le ferait sur l'herbe tendre. Il saute. Où donc?

Eh bien, dans la fosse où sont les rails!

Sur ces rails, on peut lire sur un panneau:

DANGER – 750 volts

Bien sûr, un lapin ça ne sait pas lire.

Quelle chose étrange que de voir un lapin, dans le trou noir, trottiner en équilibre sur le muret au-dessus des rails.

Claude a envie de crier.

Mais à quoi ça servira?

Catherine ne sait plus que faire! Rire ou pleurer? Dire que tout ça c'est à cause de sa curiosité et de celle d'Isabelle.

Alfred se dandine, saute allègrement. L'opérateur du train l'a vu et il essaie de le faire remonter.

Les enfants courent vers lui.

– Monsieur, c'est mon lapin. Ça fait une heure qu'on essaie de le rattraper.

– Mais on n'a pas le droit d'avoir des animaux en liberté dans le métro! répond l'opérateur d'une voix forte et fronçant les sourcils.

– Il était dans une boîte, mais il s'est sauvé! s'empresse de dire Catherine.

– En tout cas, il faut le sortir de là.

Dans le micro on entend:

Longueuil, ligne 4, service interrompu.

Dans l'attroupement qui s'est formé se trouve un vieux monsieur qui transporte un gros sac. C'est de lui que vient la solution.

Le vieux monsieur pose son sac par terre, fouille dedans et en sort une carotte!

Quelle bonne idée!

Le vieux monsieur donne sa carotte à Claude, qui le remercie d'un large sourire.

– Alfred, viens!

Claude agite la carotte au-dessus du vide.

Alfred renifle. Ses oreilles se redressent.

Il saute vers l'alléchante carotte.

Bravo! applaudit déjà la foule.

Mais vif comme l'éclair, encore une fois, Alfred attrape la carotte entre ses dents et se sauve à toutes pattes dans un endroit encore plus farfelu que le premier: *sur le toit* de la première voiture.

L'opérateur se fâche.

– Bon, ça suffit! Nous reprenons le service.

– Mais, monsieur, Alfred . . ., dit Claude atterré.

– Eh bien, il va se faire venter un peu, c'est tout! répond l'opérateur. Et puis, j'ai un message pour vous: on vous attend à Berri-de Montigny. On a téléphoné pour vous dire d'aller voir le surveillant. Allez! en voiture!

Chapitre 8

Une petite vieille dame

Vite! retournons à la petite vieille dame, se dit Isabelle en se dirigeant vers l'entrée du métro.

Le tourniquet bloque.

Toc, toc, toc, fait l'homme en bleu dans son kiosque de verre.

Isabelle le regarde. L'homme fait signe de venir à son guichet.

Terrifiée à l'idée d'avoir fait une manoeuvre interdite, Isabelle s'approche du guichet.

– Il faut payer pour entrer dans le métro, ma petite, dit l'homme à travers la vitre.

– J'ai payé, monsieur! J'étais là, indique Isabelle du doigt. Mais je suis sortie faire une commission.

– Alors tu es sortie! Pour retourner, il faut payer à nouveau.

– Ah!

Catherine fouille dans ses poches, inspecte son porte-monnaie. Il lui reste un billet rouge. Mais c'est pour le retour à la maison.

Derrière elle, des gens s'impatientent. On veut passer.

Le changeur – l'homme en bleu – lui fait signe de circuler.

Isabelle lui lance un regard noir et jette dans la boîte, sans plus réfléchir, son seul et unique billet.

– Le voilà, mon billet!

Isabelle franchit le tourniquet en hâte et court retrouver la petite vieille dame qui l'attend au haut de l'escalier.

– Est-ce qu'ils sont revenus? demande Isabelle.

– Pas encore, mais ils ne vont pas tarder, j'en suis sûre.

La gentille vieille dame remercie Isabelle pour sa commission.

– Pendant que tu étais partie, lui dit-elle, j'ai parlé au surveillant. C'est mon ami. Moi, tu sais, je viens souvent dans le métro. Je connais beaucoup de gens ici.

Isabelle écoute la petite vieille dame d'une oreille distraite. Il serait temps que ses amis réapparaissent.

“Je n’ai quand même pas envie de passer tout l’après-midi sur un banc du métro sans aller nulle part”, pense-t-elle.

Devant elle se dresse soudain l’uniforme gris des hommes qui travaillent dans le métro.

La petite dame sourit à l’homme: c’est justement à elle qu’il s’adresse.

– Azilda, dit-il, je les ai trouvés, tes petits. Ils sont à Longueuil. Il y a une manifestation là-bas. Ils ont dû être retardés.

Isabelle regarde l’homme en gris, puis la petite vieille dame deux fois avant de comprendre que c’est de Catherine et de Claude qu’il s’agit.

– Comment savez-vous? demande Isabelle.

(La voilà encore qui interpelle des étrangers! Décidément, cette timidité . . .)

– J’ai téléphoné sur toutes les lignes, répond l’homme en gris.

– Je te l’ai dit, j’ai des amis ici qui peuvent nous aider, répète la vieille dame.

– Et Alfred?

– Qui ça, Alfred? demande l’homme.

– Un lapin, lui chuchote la vieille dame, qui sait bien que la présence d'animaux est interdite ici.

– Ah! oui, il paraît qu'il revient ici lui aussi. On l'attend! rit l'homme en gris. Ha, ha, ha! Ne me dis pas qu'il est à toi, Azilda?

– Non, aux petits, dit la petite dame en lui adressant son plus malicieux clin d'oeil. Oublie un peu le règlement. Sois gentil!

Il a dit: "On l'attend!" réfléchit Isabelle. Qu'est-ce qu'il veut dire? se demande-t-elle avec inquiétude.

Tandis que l'homme s'éloigne, Isabelle aperçoit Catherine et Claude qui gravissent l'escalier de Longueuil.

– Les voilà! annonce-t-elle avec soulagement à la petite vieille dame.

Elles se lèvent toutes les deux ensemble et se précipitent pour les accueillir.

Catherine est tout heureuse de constater qu'Isabelle n'est pas perdue.

– J'étais si inquiète de toi.

– Inquiète, pourquoi?

– Je pensais que tu téléphonerais à ta mère.

– Moi! téléphoner à ma mère! Quelle idée! Je me suis fait une amie. Tu sais la dame avec un châle mauve. Elle connaît des tas de gens dans le métro.

Et Isabelle s'empresse de présenter Madame Azilda à Catherine et à Claude.

Mais il ne dit rien, Claude.

Mon Dieu! Il a une mine épouvantable. Il est pâle. Son visage ressemble à un masque de tragédie, comme on en voit sur les programmes de théâtre.

Les fillettes le regardent.

Madame Azilda s'approche de lui et lui dit doucement:

– Le surveillant m'a dit qu'il savait où il était, Alfred. Ne t'en fais pas, tu vas le retrouver.

À la grande stupéfaction de Catherine, Isabelle s'élance vers le guichet d'entrée et se met à parler avec un homme en gris qui porte sur son costume l'insigne du métro.

Isabelle la timide! Catherine n'en revient pas.

Aussitôt l'homme en gris revient vers Claude, Catherine et madame Azilda.

– Ne vous en faites pas, les enfants! On a localisé le lapin.

– Il s'appelle Alfred, voyons, Lionel! dit la petite vieille dame de sa voix douce.

– Et à qui est-il, cet Alfred?

– À moi, dit Claude, dont les joues reprennent un peu de couleur.

– Eh bien, tu pourras dire qu'il a la bougeotte, ton Alfred. Du toit du métro de Longueuil, il est passé au wagon de tête de la ligne 1. Mais cette fois il est à l'intérieur. Oups! ça sonne . . .

Et le surveillant vole vers son téléphone.

Les enfants se préparent à repartir. Ils entendent Lionel dire au téléphone:

– Ne le laissez pas s'échapper. Il s'appelle Alfred.

Puis se retournant vers eux:

– Hé! les enfants, dépêchez-vous. Alfred est à la station LaSalle, sur la ligne 1. L'agent de station va le garder le temps que vous arriviez . . .

Sans se le faire dire deux fois, les trois enfants se mettent à courir.

– Prenez la direction ANGRIGNON, leur crie Lionel.

En haut de l'escalier se dresse une boîte de métal qui distribue les correspondances.

Catherine et Isabelle se souviennent tout à coup de la phrase d'Éric: "Vous prendrez votre correspondance à Berri." Oh! que c'est loin tout ça!

Et tandis qu'elles tirent le petit bout de papier qui sort de la distributrice, elles se retournent et voient derrière elles la petite vieille dame au châle mauve. Elle tient son grand sac en toile et les regarde avec tendresse.

– Mais venez vous aussi, madame Azilda! crie Isabelle.

Et la gentille vieille dame, toute flattée de l'invitation, s'engage dans l'escalier derrière ses nouveaux amis.

Chapitre 9

La capture d'Alfred

SALLE
LASALLE

Les voilà donc tous les quatre assis dans la voiture bleue. Sur chaque visage on peut lire une joie à peine contenue.

Les stations défilent: PEEL, GUY, ATWATER.

Isabelle est celle qui affiche le plus d'assurance. Claude a retrouvé, malgré l'énergie démesurée manifestée par son cher lapin, un peu de sa fierté. Fierté d'être le propriétaire d'un lapin blanc ravissant, fierté . . . un peu effritée de le rendre heureux et de l'aimer, malgré toutes les contraintes et les difficultés se faisant très évidentes aujourd'hui.

Catherine, elle, se laisse tout simplement porter par le train rapide, savourant son plaisir. Elle n'est pas perdue, ni intimidée, tout va à merveille.

Et la petite vieille dame? Eh bien, elle est encore un peu essoufflée. Elle n'a plus huit ans, il faut bien le reconnaître.

Il a fallu se dépêcher pour rattraper la petite troupe. Ses yeux à elle, ce n'est pas l'excitation qui les fait briller. C'est plutôt la joie, la joie simple d'avoir retrouvé des enfants à aimer, à aider, à protéger.

La vieille grand-mère se sent ainsi rajeunie de 40 ans; et pendant que file le métro sous les rues de Montréal, elle revoit passer dans sa tête les images de son enfance.

Elle aussi, elle était débrouillarde dans son temps. Mais jamais on ne lui aurait permis de partir en tramway toute seule à la découverte de la ville.

Elle s'amusait bien avec ses cousins quand on glissait en traîne sauvage, l'hiver, sur la grosse côte dans la cour du Père Alcide.

Perdue dans ses rêveries, la petite vieille dame oublie où elle est; Isabelle, cette petite brune à qui elle n'a pas hésité à accorder tout d'un coup toute son affection, lui prend la main.

– Regardez, madame Azilda! C'est beau!

En effet, le métro s'arrête dans des stations qui ressemblent à des rêves.

Des rêves de béton, d'acier poli, de verre, de plastique, de lumière, de couleurs. La petite vieille dame tourne sa tête vers la fenêtre et laisse courir son regard sur les parois de béton strié, sur les plaques de métal poli.

– C'est beau, hein? questionne Isabelle.

– Oui, c'est beau, répond la petite vieille dame, quittant du même coup ses rêves et ses souvenirs.

Non seulement faut-il revenir sur terre, mais aussi à aujourd'hui. Et à Alfred!

La station LaSalle approche. C'est ici qu'il faut descendre et retrouver ce lapin fanfaron qui vit, sans aucun doute, l'*aventure* de sa vie.

Claude sort le premier. Les trois "dames" le suivent sans mot dire.

Tout a l'air calme ici. Sur le quai, devant eux, il y a un attroupement. Fait curieux: tout le monde a le nez en l'air.

Bien vite, on comprend pourquoi.

Les gens regardent Alfred! Encore lui! Il est juché à 5 mètres du sol, sur une lampe bien au-dessus des têtes.

Claude et sa suite arrivent sur les lieux. Dans le mur de béton peint en violet se découpe une pente qui monte et se termine par une lampe en acier qui surplombe le quai.

Alfred est installé sur la lampe.

Il est bien au chaud, il voit tout ce qui se passe. Il n'a pas du tout l'air d'avoir envie de redescendre.

Mais cette fois, ils sont quatre à l'attendre et l'agent de station arrive à leur rencontre.

– Laissez la place, laissez la place! qu'il crie.

– Allons, mon lapin, il faut descendre.

Claude s'avance juste sous la lampe. Il n'ose plus appeler son Alfred. Il a constaté que sa voix, loin d'attirer Alfred, n'a réussi qu'à l'éloigner encore plus.

Allez donc savoir ce qui se passe dans cette petite tête blanche!

– Claude, chuchote la petite vieille dame, prends mon sac. Tu vois, il est grand, il te sera utile.

La petite vieille dame présente à Claude un grand sac de toile solide garni de grosses poignées de bois. Claude s'en saisit, l'ouvre et le place juste sous le lapin.

Si seulement Alfred voulait bien tomber dedans. Mais il ne faut pas trop demander à ce petit vagabond!

Catherine, qui farfouille dans son sac à dos depuis un moment, vient de sortir sa corde à danser. Et la voilà qui s'élance en équilibre sur la pente violette du mur de béton.

Tout le monde retient son souffle. On se croirait au cirque devant la trapéziste.

Sous la lampe, Claude tient toujours le sac de toile bien ouvert. Catherine grimpe en s'agrippant au mur.

Rendue à moitié chemin, elle sort sa corde à danser et la lance vers le lapin.

Ploc! la poignée de plastique frappe Alfred.

Pauvre Alfred!

Il perd patte et tombe dans le vide.

En bas, Claude est prêt. Alfred atterrit dans le sac.

Bravo! crie l'agent de station qui accueille avec soulagement la fin du désordre qui troublait la paix de sa station depuis de longues minutes.

Sans perdre de temps, Claude referme le sac; Catherine descend du mur.

Chapitre 10

Les voisins

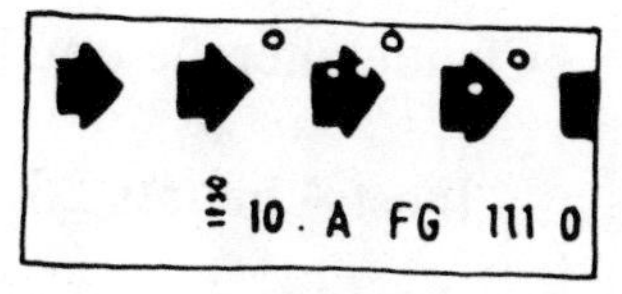

Maintenant, il s'agit de ne plus le perdre, ce sacripant d'Alfred.

Claude tient son lapin dans ses bras en serrant très fort ses pattes arrière. Car il a bien fallu le sortir du sac. Il gigotait, il mordillait. Madame Azilda a bien cru que son sac allait se retrouver en lambeaux.

Mais ça ne pourra durer longtemps. Il faut trouver une solution pour éviter de perdre Alfred encore une fois.

Petit à petit, Alfred se calme. Il ne bouge plus dans les bras de Claude. Il est peut-être fatigué.

Il faut dire que les enfants, eux, sont fatigués. Ils s'assoient sur une banquette, aux côtés de la petite vieille dame en poussant un ouf! Les courses et les émotions ont assez duré.

– Regardez donc Alfred! fait Catherine.

– Ah! tiens!

– Il dort.

– Quelle heure est-il? demande Isabelle.

Claude cherche une horloge des yeux.

– Il est 4 heures 25.

– Déjà! s'exclame Isabelle.

– Penses-tu qu'on peut encore aller à la montagne?

– Hum . . . vous n'êtes pas tout près, dit Claude.

– Je sais. Il faut aller jusqu'à la station Mont-Royal et prendre l'autobus 11. On n'aura jamais assez de temps! s'indigne Isabelle.

– Moi, il faut que j'aille porter Alfred chez mon grand-père à Verdun. Venez avec moi!

– Pourquoi pas!

– C'est loin?

– Pas trop, dit Claude.

– Est-ce qu'il nous faut un autre billet? demande Isabelle, inquiète.

– Mais non, puisque nous ne sommes pas sortis du métro.

– Alors on pourrait passer toute la journée dans le métro avec un seul billet?

– Moi, c'est ça que je fais, dit madame Azilda de sa petite voix douce.

– C'est vraiment épatant!

– Comment allons-nous transporter Alfred jusque chez grand-papa? demande Claude. Il ne voudra jamais rester dans le sac.

– Humm . . .

– Je sais! dit Isabelle. On va lui faire une laisse avec la corde à danser de Catherine.

– La bonne idée!

– J'espère que ça va marcher!

– Puisqu'on n'a rien d'autre, essayons!

Claude attache délicatement la corde autour du cou d'Alfred qui ouvre à peine les yeux.

Se serrant les uns contre les autres, la petite troupe reprend encore une fois le métro.

– Mais c'est tout près, dit Catherine, examinant la carte murale.

Après tant de courses et d'agitation, l'estomac des enfants grogne.

– J'ai faim!

– Nous avons un goûter!

– C'était pour le pique-nique, dit Catherine en pouffant de rire.

Tout le monde partage les biscuits. C'est bien peu pour des estomacs affamés.

– C'est drôle, dit Catherine, soudain songeuse.

– Nous ne te connaissons même pas, et on dirait que tu es notre ami depuis très longtemps.

Claude rougit et sourit à la fois.

– Et moi, dit la petite vieille dame, je ne vous connais pas du tout!

– Moi, dit Claude, je ne sais même pas vos noms.

Catherine et Isabelle rient de bon coeur.

– Moi, c'est Catherine Sauvé.

– Et moi, Isabelle Falardeau.

– Habites-tu Verdun?

– Mais non, pas moi, répond Claude.

– Où alors?

– À Anjou, près de la station Radisson.

– Nous aussi!

– Sur quelle rue? demande Isabelle.

– Sur la rue du Bocage.

– Hein! Mais c'est à côté de chez nous!

– Pas possible!

– À quelle école vas-tu? questionne encore Catherine.

– À l'école des Roseraies.

– Hein . . . Comme nous!

Les deux filles regardent Claude avec étonnement.

– Alors, comment ça se fait qu'on ne t'a jamais vu?

– J'ai déménagé en septembre à Montréal. Avant j'habitais à Joliette.

– Ah! que c'est formidable!

Le train est arrivé à Verdun. Vite, il faut sortir et ne pas trop bousculer Alfred.

Au sortir de la station, Alfred entrouvre un oeil. L'air frais le réveille tout à fait. Il se dresse et s'apprête à bondir hors des bras de Claude.

Ah! mais pas si vite! cette fois il y a une laisse.

Alfred monte docilement les escaliers de la station. Les passants le regardent et s'attendrissent:

– Comme il est beau!

– Comme il a l'air sage!

S'ils savaient quel genre de journée il vient de passer!

Chapitre 11

Un nouveau logis

Voici Verdun, la ville.

Catherine, Isabelle, la petite vieille dame, Claude et Alfred sortent à l'air pur.

– Ça fait trois heures qu'on est sous terre!

– Ouf! Ça fait du bien de sentir de l'air frais.

– Voir des arbres!

– Des maisons!

– Où c'est, chez ton grand-père?

– Tout près d'ici. Suivez-moi, dit Claude.

Alfred est tout à fait reposé. Il trottine auprès des enfants.

Soudain un gros chien noir surgit au coin de la rue.

– Ouarf!

Il s'élance vers Alfred.

Mais la petite vieille dame l'a vu venir. En un geste rapide elle a saisi Alfred et l'a fourré encore une fois dans son sac.

– Ouarf! Ouarf!

Le chien noir est furieux.

Claude embrasse la petite vieille dame sur les deux joues.

– Merci, merci.

– Deux rues encore et nous y sommes, déclare Claude.

Devant une maisonnette de briques rouges qui se prolonge en un large perron de bois peint en jaune, Claude s'arrête.

– C'est ici.

Sur le perron il y a quelqu'un sur une chaise.

– C'est grand-papa!

Claude s'élance vers lui tandis que les autres attendent sur le trottoir.

– Claude! comme tu a pris du temps! Je t'attends depuis midi.

– Grand-papa, si tu savais tout ce qui m'est arrivé!

Mais plutôt que de tout raconter, Claude invite son grand-père à faire la connaissance de ses amies, de ses amies d'un jour qui font désormais partie de sa vie.

– Mais où donc est Alfred? demande grand-père.

– Ici, dit Claude, en indiquant le sac de la petite vieille dame qui regarde le grand-père de Claude d'un oeil curieux.

Grand-père saisit le sac, puis il plonge son regard dans les yeux de celle qui le portait.

– Azilda!

– Éloi!

Le silence qui suit ces éclats de voix est chargé d'émotion. Les enfants se regardent sans oser ouvrir la bouche.

Claude regarde son grand-père entourer de son bras les épaules mauves de la petite vieille dame.

– Azilda! répète grand-père.

– Éloi! répète la petite vieille dame de sa voix douce.

– D’où sors-tu?

– Et toi?

Puis, ensemble, tout le monde éclate d’un grand rire sonore. On rit, on rit, on ne sait pas trop pourquoi.

Alfred sort la tête du sac.

Grand-père Éloi s’en empare et le conduit dans la maison.

– Venez tous! crie-t-il.

Grand-père fait les honneurs de sa maison.

C’est petit, propre et ça sent le ragoût.

La petite vieille dame est tout intimidée. Elle regarde grand-père Éloi du coin de l’oeil.

Pensez donc . . . retrouver ainsi son ancien ami!

Grand-père tire une chaise pour son amie Azilda. Il va falloir se raconter tant de choses depuis qu’on s’est vus!

Mais Alfred, dans les bras de grand-père Éloi se met à gigoter.

– Bon! d'abord on va s'occuper d'Alfred, s'écrie grand-père.

Il conduit les enfants dans la cour derrière la maison. La petite vieille dame les suit.

Le jardin est minuscule. Il y a aussi une petite remise qui devait servir de garage. Mais comme grand-père n'a pas de voiture, il l'a transformée en atelier-ménagerie.

Les enfants entrent et butent contre un gros chat jaune qui dormait. Deux poules caquettent dans le noir.

Sur l'établi encombré de pots de peinture et de boîtes de clous trône une cage toute neuve. Grand-père vient de la terminer.

– Voici ta nouvelle maison, Alfred!

– Elle est belle, grand-papa, dit Claude.

– Ouvre la porte, on va le faire entrer.

Grand-père dépose Alfred dans son nouveau logis. Il en fait le tour et semble satisfait. C'est vrai qu'après les courses qu'il vient de faire, tous les escaliers qu'il vient d'escalader, il doit quand même être heureux de trouver le calme et une grosse feuille de chou que lui tend Catherine.

– Venez goûter, maintenant. Et me raconter vos aventures, propose grand-père Éloi.

Tout le monde retourne à la cuisine.

Azilda, la petite vieille dame, est toute rose de plaisir. Elle retire son sac de toile qu'elle avait laissé sur la table pour faire place au goûter. Le sac entrouvert laisse voir des petites taches au fond.

– Mais qu'est-ce que c'est que ça? s'écrie grand-père.

– Ha, ha! Ce sont les petites crottes d'Alfred.

– Ha, ha! Il te les a laissées en souvenir.

– Pour payer son transport.

Les enfants, grand-père, la petite vieille dame rient de bon coeur. Et aussitôt tout le monde se met à parler à la fois pour enfin raconter l'aventure de l'après-midi.

– Un instant, crie grand-père Éloi. Un à la fois!

C'est Claude qui commence. Et pendant de longues minutes, chacun y ajoutant quelques petits détails, on finit par raconter à grand-père la fuite d'Alfred, les peurs et les chagrins, et surtout les amitiés qui sont nées en ce jour pas comme les autres.

Puis, Catherine et Isabelle se mettent à penser qu'il est peut-être temps de rentrer.

– Je crois qu'il va falloir partir.

– On a promis de rentrer avant 6 heures.

– Tu reviens avec nous, Claude?

– Reste à souper avec moi, Claude, dit grand-papa Éloi.

– Et toi aussi, Azilda, je t'invite. Il nous faudra du temps à nous aussi pour se raconter nos vies.

Claude et la petite vieille dame acceptent volontiers l'invitation.

Mais Catherine et Isabelle doivent partir.

– Je vous ramène au métro, dit Claude.

Avant de quitter leur ami Claude, Catherine et Isabelle remercient le grand-père pour le goûter et plantent sur les joues de la petite vieille dame deux gros baisers.

– On va se revoir, hein, Madame?

– Dans le métro?

– Bien sûr, et vous reviendrez voir Alfred avec nous, n'est-ce pas?

– Avec plaisir.

La petite vieille dame sourit. Et pendant que s'éloignent les enfants, une longue conversation commence entre les deux vieux amis retrouvés, Éloi et Azilda.

– . . . je vis seule, et comme je m'ennuie, je vais souvent dans le métro, à la station Berri surtout. Il passe tant de monde. Ça me donne l'impression d'avoir une famille . . . Il faut dire qu'aujourd'hui, ça été une journée exceptionnelle.

– Et moi aussi je m'ennuie tout seul. Te souviens-tu autrefois, Azilda, quand on regardait passer les tramways? . . .

– Ton cousin, le noir, tu sais – il avait les yeux qui louchaient, qu'est-ce qu'il est devenu?

– Mario! Ah! tu l'aimais mieux que moi, hein!... Il habite à Montréal. On va l'appeler! . . .

Chapitre 12

Une rencontre inattendue

Rendues à la station Verdun, Isabelle et Catherine font leurs adieux à Claude en promettant de se revoir très bientôt.

– Demain, attends-nous dans la cour de récréation.

– C'est promis!

Claude salue ses amies de la main et retourne chez son grand-père.

Catherine et Isabelle arrivent au guichet du métro. Mais Isabelle n'a plus de billet!

– C'est vrai! Je l'ai pris pour faire la commission de la petite vieille dame.

Que faire?

– Prends ton argent! dit Catherine.

– On peut? Je croyais qu'il ne fallait payer qu'avec des billets rouges!

– Mais non, on peut!

– Et si je prenais ma correspondance! dit Isabelle, en sortant de sa poche un bout de papier tout froissé.

– Voyons! Ça c'est pour l'autobus, dit Catherine avec autorité.

– Bon, d'accord.

Isabelle jette une pièce de monnaie dans la boîte et actionne le tourniquet.

– Mais alors, qu'est-ce qu'on va en faire de nos correspondances?

– Rien. Mais la prochaine fois . . .

Les longs escaliers roulants qui mènent les passagers aux quais offrent une vue superbe sur le métro et l'ensemble de la station. Mais l'escalier roulant rappelle aussi aux petites filles des souvenirs très récents. Elles étouffent un rire complice.

Quelle journée!

À cette heure-ci, voyager dans le métro c'est une autre affaire!

Il y a une foule de gens qui se pressent, qui courent. À chaque station des gens entrent et sortent des wagons, se bousculent. Isabelle et Catherine n'ont pu trouver de place pour s'asseoir. Se tenant à un poteau brillant, elles sont coincées entre un monsieur sévère et deux étudiants qui discutent, un cartable bourré de livres à leurs pieds.

Le sac à main d'une dame coiffée d'un étrange chapeau entre dans les côtes d'Isabelle.

– On va étouffer! s'inquiète Catherine.

– Au moins, on n'a pas besoin de changer de direction. Ce serait encore pire.

– Tu sais, j'ai compté les stations. Il y en a 22 pour aller chez nous!

– 22! C'est loin!

– C'est vraiment formidable, le métro, hein?

– Mais qu'est-ce qu'on va dire à maman?

– . . . Euh! . . .

À Berri-de Montigny, la moitié de la voiture se vide. Enfin! Les filles trouvent un siège libre tout près des portes et s'en emparent.

La voiture se remplit de nouveau.

Et parmi les passagers, un grand homme brun à moustache vient se poster juste devant elles.

Catherine envoie un formidable coup de coude à Isabelle.

– Papa!

– Isabelle! Qu'est-ce que tu fais ici?

– Eh bien, je vais en métro! dit Isabelle avec fierté.

– Avec moi, enchaîne Catherine.

– Ta mère est au courant?

– Oui, elle le sait.

– Eh bien, dit monsieur Falardeau. Et d'où arrivez-vous donc?

– De Verdun.

– Chut! fait Catherine. La montagne, voyons! chuchote-t-elle à l'oreille d'Isabelle.

– Ah! Il faudra bien le dire, soupire Isabelle.

Monsieur Falardeau regarde sa fille en souriant:

– Petite sorcière, va! Je pense que vous avez des choses à raconter, ajoute-t-il en s'adressant aux deux fillettes.

– Oh! oui, répondent-elles en choeur d'un ton de soulagement.

Le métro continue son chemin. Les stations défilent, grises, rouges, jaunes.

Voici Radisson.

– On y est, dit monsieur Falardeau.

Les filles descendent du métro en sautillant.

Mais avant de quitter la station, elles regardent longtemps s'éloigner les voitures bleues dans le tunnel.

Catherine pense:

"Quand viendront mes cousines de Trois-Rivières, je vais les emmener ici. Je sais tout (!) sur le métro. On ira sur les autres lignes. Ce n'est pas compliqué. Pauvres cousines! Elles n'en ont même pas de métro, elles, à Trois-Rivières . . ."

Dehors, sur le trottoir, Catherine et Isabelle retrouvent leur quartier avec plaisir. Après cette longue journée peuplée de lieux nouveaux et de visages étrangers, ça fait du bien de retrouver les maisons, les boutiques familières.

Sur le chemin de la maison, Isabelle tire la manche de son père et demande:

– Papa, n'est-ce pas que ça se peut, des femmes opératrices de métro?

TABLE DES MATIÈRES

Chère lectrice,

Cher lecteur,

Bienvenue dans le club des enthousiastes de la collection **Pour lire avec toi**. Si tu as aimé l'histoire que tu viens de lire, tu auras certainement envie d'en découvrir d'autres. Pour te mettre en appétit, voici des extraits de quelques romans de la même collection.

Je te rappelle que le nombre de petits coeurs augmente avec la difficulté du texte.

♥ : facile

♥♥ : moyen

♥♥♥ : plus difficile

Grâce aux petits coeurs, quel que soit ton âge, tu pourras choisir tes livres selon tes goûts et tes aptitudes à la lecture.

Les auteurs et les illustrateurs de la collection **Pour lire avec toi** seraient heureux de connaître tes opinions concernant leurs histoires et leurs dessins. Écris-nous à l'adresse au bas de la page.

Bonne lecture!

La directrice de la collection,

Henriette Major

Henriette Major

Éditions Héritage Inc.
300, avenue Arran
Saint-Lambert (Québec)
J4R 1K5

La Sorcière et la princesse ♥♥

par Henriette Major

Sophie à l'école

7 octobre

Cette année, je ne vais pas à mon ancienne école parce que j'ai déménagé. Je vais à ma nouvelle école. Je l'aime moins que mon ancienne parce que ma nouvelle, elle est trop grande et il y a trop de monde dedans.

Comme de raison, je n'ai pas mon ancienne maîtresse de l'an dernier, Bernadette qu'elle s'appelait. Si j'allais à mon ancienne école, je n'aurais pas Bernadette comme maîtresse non plus, vu que j'ai monté de classe, mais je pourrais lui parler pendant les récréations et aller la voir après la classe et même lui porter ses livres jusqu'à son auto. Mais je ne peux même pas l'apercevoir de loin parce que mon ancienne école est dans un autre quartier.

Cette année, ma maîtresse d'école, c'est un maître. Il s'appelle Hervé. Il a des lunettes et il est grand et maigre. Ma mère dit:

— Dis plutôt qu'il est mince: c'est plus poli.

Il est maigre pareil. Derrière ses lunettes, ses yeux sont tout flous. Ça fait que tu n'es jamais sûre si c'est bien toi qu'il regarde. Il n'a pas des beaux yeux verts comme Bernadette: il a des yeux gris sale. Il n'a pas des beaux cheveux roux et fous comme ceux de Bernadette. Il a des cheveux châtains tout raides. Hervé, il nous appelle «les amis», même si on n'est pas ses amis. Bernadette, elle nous appelait «les élèves», mais on était ses amis. Peut-être que je pourrais lui téléphoner, à Bernadette... mais je n'ai pas son numéro de téléphone. Peut-être que je pourrais lui écrire... mais j'ai peur de faire des fautes.

Ce matin, quand la cloche de l'école a sonné, je me suis mise en rang avec ma classe. Je voulais faire comprendre à Lucie et à Éric dans l'autre rangée qu'il fallait se retrouver à la récréation: alors, j'ai fait le signe de reconnaissance de la bande.

— Sophie! Qu'est-ce que c'est que ces grimaces? a dit Hervé. Va te placer à la queue.

J'ai essayé de lui expliquer que c'était pas des grimaces, mais il ne m'a pas laissée parler. Bernadette, elle, elle m'aurait laissée parler.

Sophie et le monstre aux grands pieds ♥♥

par Henriette Major

CHAPITRE 7

Les traces du monstre

Le lundi matin, j'avais rendez-vous avec Antoine sur les pentes du Mont-Royal pour préparer la course au trésor. J'ai invité ma grand-mère à nous accompagner. Elle a déclaré :

— J'aurais bien aimé te donner un coup de main, mais Adrien doit venir réparer la machine à laver ce matin. Je ne peux pas m'absenter.

Je suis donc partie seule pour rejoindre Antoine. Il avait neigé durant la nuit. Antoine et moi, on était contents, on pourrait creuser dans la neige pour y placer nos indices. On aurait pu les cacher le long de la route déblayée qui mène au sommet, mais c'était trop facile. On a plutôt décidé de suivre la piste de ski de fond et de raquette qui passe à travers les arbres. On n'avançait pas très vite car, à certains endroits, on enfonçait dans la neige jusqu'aux genoux.

Au début, le terrain était assez plat. On suivait de près les marques de skis et de raquettes. On avait déjà caché deux indices quand tout à coup, Antoine s'est écrié :

— Hé ! Sophie ! Viens ici ! Je vois quelque chose de bizarre !

Je me suis approchée et j'ai aperçu des traces ovales ; elles avaient à peu près la forme d'un pied, d'un très grand pied avec des petits creux à la place des orteils et du talon. Antoine et moi, on a d'abord été muets de surprise.

— Qui a bien pu laisser des traces pareilles ?... a murmuré Antoine. Ça ne ressemble à rien que je connais.

— Je sais! ai-je affirmé, très excitée: c'est l'Abominable Homme des Neiges!

— Qu'est-ce que tu racontes? a répondu Antoine. Comment un homme peut-il être beau et minable en même temps?

— Tu chercheras le mot abominable au dictionnaire, espèce d'abominable ignorant. L'Abominable Homme des Neiges, c'est un géant poilu qui vit dans les montagnes et qui laisse des traces dans la neige avec ses grands pieds nus. J'ai lu ça dans un livre sur les monstres.

Le pays du papier peint ♥♥

par Vincent Lauzon

CHAPITRE 3
Le Chevalier solitaire

Ce soir-là, au milieu d'une grande clairière bordée de cèdres parfumés, Marie-Aude mangeait des guimauves grillées en compagnie de la licorne zébrée et du dragon aux yeux dorés, celui-là même qui l'avait tant effrayée lors de sa première visite. Ce dragon n'était pas n'importe quel dragon, comme il se plaisait à le faire remarquer le plus souvent possible : il venait d'une très vieille, très grande et très noble famille de dragons et il en était plutôt fier. Il s'appelait Isidore de la Flammèche.

Isidore était couché nonchalamment dans les fougères et à chaque expiration, ses narines laissaient échapper d'écarlates éclats enflammés qui montaient en crépitant dans le ciel nocturne. Marie-Aude et la licorne n'avaient qu'à tenir leurs guimauves au-dessus du nez du dragon et, en quelques secondes, les friandises devenaient délicieusement dorées. La petite fille utilisait une longue branche de chêne alors que la licorne installait carrément ses guimauves au bout de sa corne. L'air doux et léger ainsi que la lumière tamisée de la lune de papier peint rendaient l'atmosphère merveilleusement calme et agréable.

— Hé, Marie-Aude, dit Isidore en bâillant un peu, cela fait trois guimauves que tu manges sans m'en donner une seule. C'est pas juste : c'est tout de même moi qui les prépare, vos guimauves, non ?

La petite fille se mit à rire et donna une guimauve au dragon bougonneur. Isidore l'engloutit d'une seule bouchée et se lécha les babines, découvrant un instant ses crocs féroces. Marie-Aude frissonna. Elle était bien contente qu'Isidore soit son copain : avec des dents pareilles, elle n'aurait pas voulu l'avoir pour ennemi.

— Dis donc, Isidore, demanda-t-elle entre deux bouchées, je n'ai pas encore rencontré ton copain le Chevalier. Il m'intrigue. Crois-tu que l'on pourrait lui rendre visite ce soir ?

Le dragon parut réfléchir un moment.

— Bien sûr, déclara-t-il enfin. Cela te plairait, licorne ?

La licorne hennit et s'ébroua.

— Moi, je vous suis, dit-elle avec une trace de tristesse dans la voix. Vous êtes mes seuls amis… les autres licornes ne m'ont pas encore adressé la parole à cause de… de… oh, vous savez bien…

La chasse au trésor ♥♥

par Mario Audet

CHAPITRE 4
Le troisième message

La montée en funiculaire se fait sans histoires. Arrivées sur la terrasse Dufferin, Isabelle et Catherine relisent la dernière partie du message :

Là, un ange jouant de la trompette
Vous invitera à monter dans sa barque.

Il leur est très facile de repérer l'ange du message. Il se trouve au pied de la statue de Samuel de Champlain qui tourne le dos à la sortie du funiculaire. L'ange trompettiste se tient debout dans sa barque de bronze. Catherine escalade le socle de la statue jusqu'à la hauteur de la barque. Là, elle découvre un autre message qu'elle exhibe victorieusement. D'un seul bond, elle saute en bas, anxieuse de connaître la suite de l'aventure. Le message dit :

Bravo, vous êtes très habiles ! Cependant, vous n'êtes pas au bout de vos peines. Il vous reste un autre message à découvrir avant de franchir la prochaine étape, la plus décisive.

Rendez-vous au séminaire de Québec en passant par la rue où les murs sont décorés de peintures. C'est le plus beau et le plus court chemin.

Là, vous entrerez par la porte qui s'ouvre sur l'endroit rempli d'objets du passé appartenant aux Beaux-Arts, aux Sciences et aux Lettres.

Montez 65 marches et allez rendre visite à celui qui dort depuis plus de 3 000 ans. À vingt-cinq pas de là, vous trouverez trois statues d'or. Elles ont un message pour vous, caché derrière leur autel.

Mais attention! MÉFIEZ-VOUS DE L'OEIL SONORE.

Ouf! voilà un message qui en dit bien long et qui, en même temps, crée bien du mystère. Le premier réflexe des deux gamines est de demander de l'aide à Mario, mais rapidement elles jugent que ça ne vaut pas la peine de perdre de précieux points de chance. Elles connaissent bien les environs. Elles se dirigent donc allègrement vers la rue du Trésor, celle où les murs des maisons sont tapissés d'oeuvres d'art.

Sans ralentir leur allure, elles regardent les dessins et les tableaux qui font la convoitise des touristes en quête d'un élégant souvenir du Vieux-Québec. Bientôt, le trio se retrouve face à la basilique Notre-Dame adossée au séminaire de Québec.

Le petit chien perdu♥

par Jacques Trudel

CHAPITRE 3

À la recherche de Polux

Après une bonne nuit de sommeil, Yanik et Stéphane se lèvent très tôt : leur enquête ne peut attendre. Ils avalent rapidement leur petit déjeuner. Leur mère les regarde d'un air étonné.

— Vous êtes bien pressés ce matin ?

— On a un travail important à faire ! répond Yanik.

— Un travail ?

— Oui, un travail de détective !

— Et d'assistant-détective ! ajoute Stéphane.

— Ah oui ?

— Il faut retrouver le chien d'Éveline Latour, explique Yanik. Il a disparu.

— Je vous souhaite bonne chance !

Yanik termine son repas. Il va ensuite chercher son sac à dos et y glisse ses instruments de travail : un carnet de notes, un crayon et une petite loupe. Ça peut toujours servir !

— Tu viens, Stéphane ? ordonne-t-il.

Stéphane court prendre son sac, presque identique. Il le bourre de provisions : trois pommes, une banane et, en cas d'urgence, un petit gâteau au caramel. Yanik et Séphane sont enfin prêts à commencer leur enquête.

— Où allons-nous ? demande ce dernier.

La veille, avant de s'endormir, Yanik a préparé un plan. La première chose à faire est d'aller questionner Éveline Latour. Il faut savoir exactement comment son chien a disparu.

— On va chez Éveline.

Stéphane s'inquiète un peu.

— Elle ne nous a pas demandé de retrouver Polux...

Yanik marche d'un pas rapide.

— Elle sera contente qu'on s'en occupe. Après tout, on est les meilleurs détectives du quartier!

Stéphane est rassuré.

— C'est vrai. On est les meilleurs. On est aussi les seuls, hein, Yanik?

— Ouais...

— En tout cas, on a une cabane avec une affiche.

Yanik marche toujours aussi vite. Il écoute distraitement son assistant.

— Et puis, on a nos casquettes. Elle sera bien obligée de nous prendre au sérieux!

Stéphane trouve que Yanik a parfaitement raison.

— Je suis content d'être ton assistant, Yanik!

Yanik s'arrête net.

— Appelle-moi «inspecteur»! Inspecteur Yanik.

Les mémoires d'une sorcière ♥♥♥

par Suzanne Julien

CHAPITRE 1
La naissance d'une sorcière

Cette nuit-là, il pleuvait. Il pleuvait très, très fort. On aurait dit que de méchants petits elfes s'amusaient à lancer des cailloux sur les toits des maisons. Le bruit assourdissant de la pluie avait fait fuir tous les êtres vivants, hommes ou bêtes, au fond de leur demeure.

De loin, on pouvait entendre le tonnerre et apercevoir les lueurs des éclairs. L'orage se rapprochait. Quel beau temps, il faisait cette nuit-là ! C'était vraiment un temps idéal pour l'arrivée d'une nouvelle petite sorcière.

— C'est de bon augure, déclara ma grand-tante, la méchante fée Esméralda.

Elle était ravie de pouvoir assister à ma naissance. Mon père, l'enchanteur Malin, récitait des incantations pour qu'en naissant je possède toutes les qualités d'une sorcière : méchante, laide et égoïste. Ma mère, la fée Malice, avait surtout hâte que ce soit fini...

J'accomplis alors ma première mauvaise action : faire attendre ma mère, mon père et ma grand-tante toute la nuit. Au moment où, lassés d'attendre, ils s'installaient pour dormir, je me décidai à naître.

Je pris tout le monde par surprise : Esméralda préparait son lit, mon père rangeait ses grimoires en bâillant et ma mère ronflait déjà ! Je poussai alors d'horribles cris, étouffés par le grondement du tonnerre. Longtemps, j'ai cru que c'était moi qui avais causé ce tintamarre. Mais en tentant de recommencer par la suite, je dus me rendre à l'évidence : je n'étais pour rien dans le fracas de l'orage.

Mon arrivée passa donc inaperçue. Je fis alors comme tous les bébés naissants : je pleurai et hurlai sans arrêt. Et juste au moment où j'allais me pâmer, tout le monde se précipita sur moi.

— Il faut l'emmailloter, disait ma mère.

— Il faut lui réciter des formules magiques, lançait mon père.

— Je veux lui faire cadeau de mes incantations les plus maléfiques, s'exclamait ma grand-tante.

À vouloir me caresser tous en même temps, ils me brassaient, me tiraillaient, m'écartelaient. Je compris alors que je n'étais pas tombée dans une famille ordinaire. Leurs touchantes marques d'affection durèrent jusqu'au petit matin. Quand le soleil se leva, mon père déclara :

— Il faut lui choisir un nom.

Le monstre de poussière ♥

par Richard Riewer, adaptation Henriette Major

CHAPITRE 1
Un monstre sous le lit

C'est l'heure de se coucher. Laurent jette un coup d'oeil prudent dans sa chambre. Rien ne bouge. Pas un bruit. Il se glisse jusqu'à son lit tout propre aux couvertures bien tirées : Ted l'ourson, les yeux brillants, est assis sur l'oreiller, prêt à se coucher lui aussi. Laurent met son pyjama et s'assoit près de Ted pour l'embrasser et lui souhaiter bonne nuit. Tout à coup, il entend un bruit étrange venant de dessous le lit, comme le murmure des feuilles dans le vent. Le bruissement devient de plus en plus fort. En même temps, des flocons de poussière roulent sur le parquet. Laurent se penche et soulève doucement le couvre-lit. Il aperçoit deux yeux pâles qui brillent dans le noir.

— Hum… excuse-moi, je n'ai fait qu'éternuer, dit une voix enrouée sous le lit. Je ne voulais pas te déranger…

— Il y a un monstre là sous mon lit ! murmure Laurent, tout inquiet. Que vais-je faire ?

— J'espère que je ne t'ai pas fait peur, dit le monstre.

« Il a l'air gentil », pense Laurent.

« J'aimerais bien faire la connaissance de ce garçon », se dit le monstre.

Après un moment de réflexion, Laurent décide de prendre l'initiative.

— Tu devrais sortir de là, chuchote-t-il. N'aie pas peur, montre-toi. Je veux seulement te parler…

— Eh bien, puisque tu insistes, je vais venir, réplique le monstre en adoucissant la voix.

Il sort de sa cachette en rampant. Aussitôt, une épaisse poussière se répand dans la pièce, dansant dans la pâle lumière de la lune. La poussière est si épaisse que Laurent et le monstre ont peine à se voir.

— Qui es-tu? demande Laurent.

— Je suis un monstre de poussière, répond le monstre.

« Voilà qui est encore plus drôle qu'un combat d'oreillers », songe Laurent.

— Ted semble avoir disparu, dit-il à haute voix.

— Peut-être que je lui fais peur, remarque le monstre de poussière.

— Les oursons en peluche n'ont jamais peur et ils ne sont jamais tristes, assure Laurent. Ils sourient tout le temps.

ACHEVÉ D'IMPRIMER
EN SEPTEMBRE 1988
SUR LES PRESSES DE
PAYETTE & SIMMS INC.
À SAINT-LAMBERT, P.Q.